pat

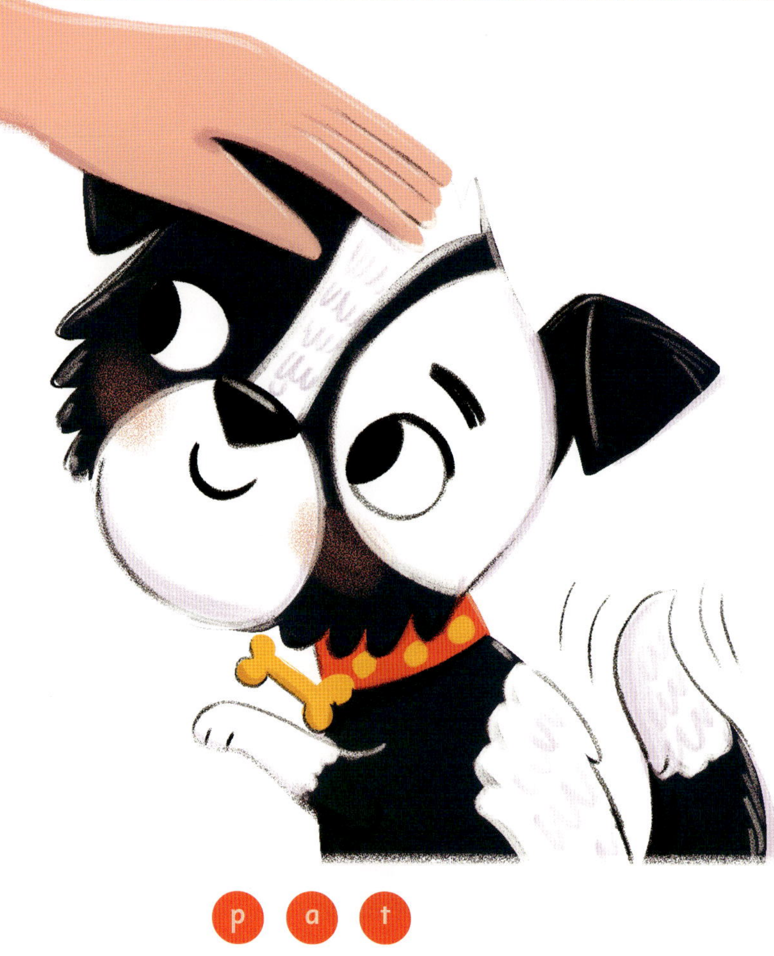

p a t

tip

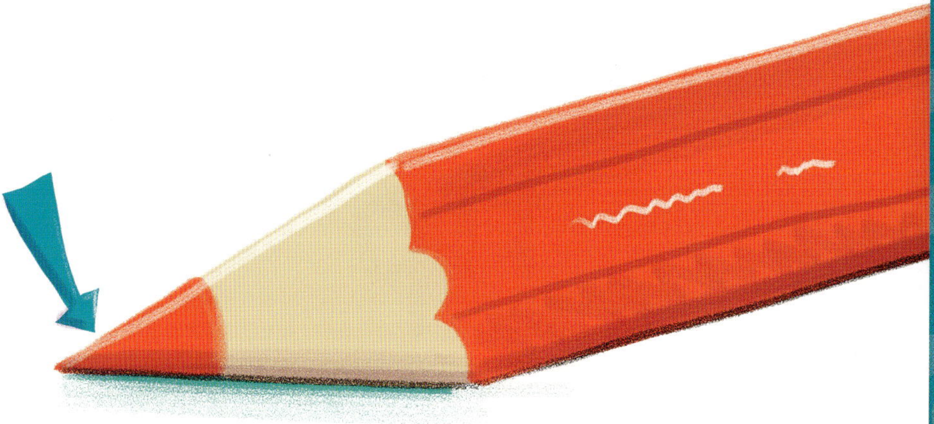

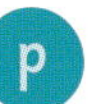

t i p

app

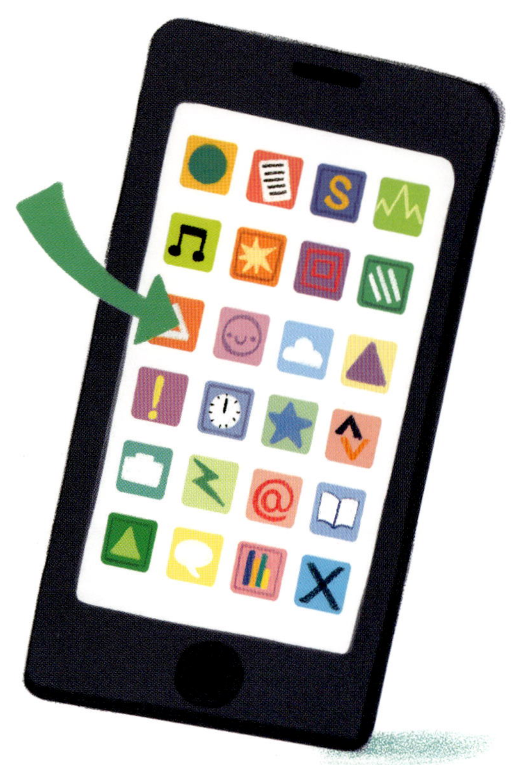

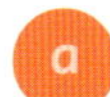
a

pp

ant

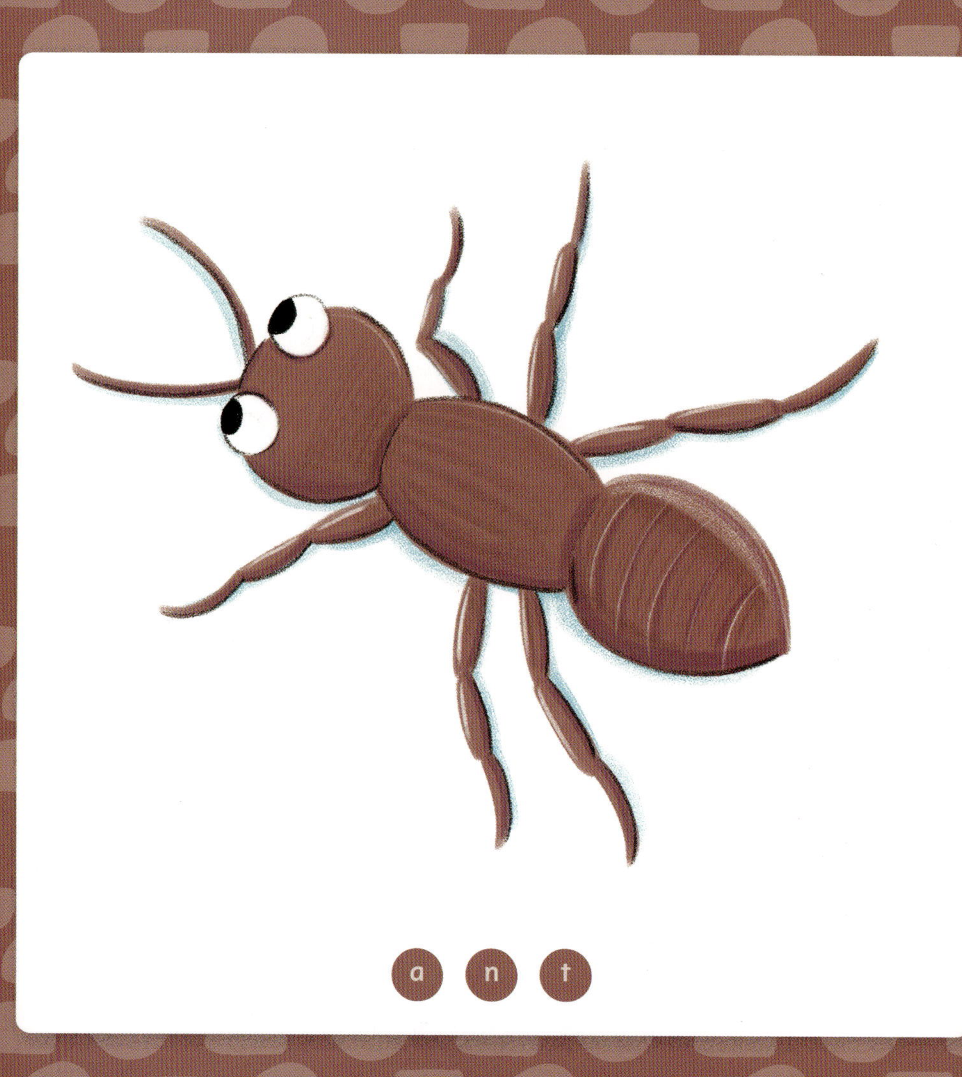
a n t

pit

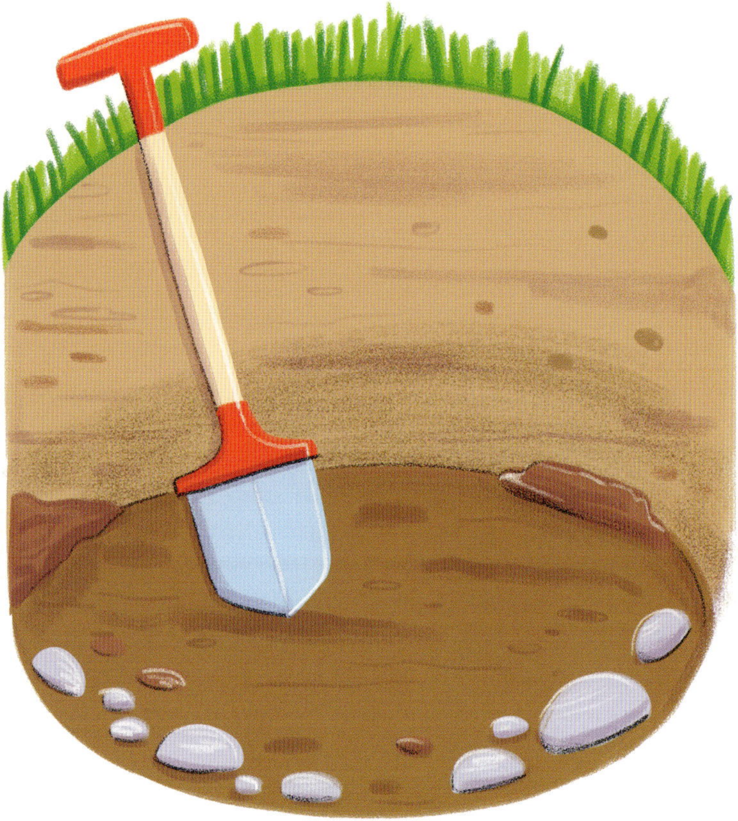

p

i
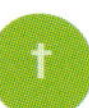
t

sap

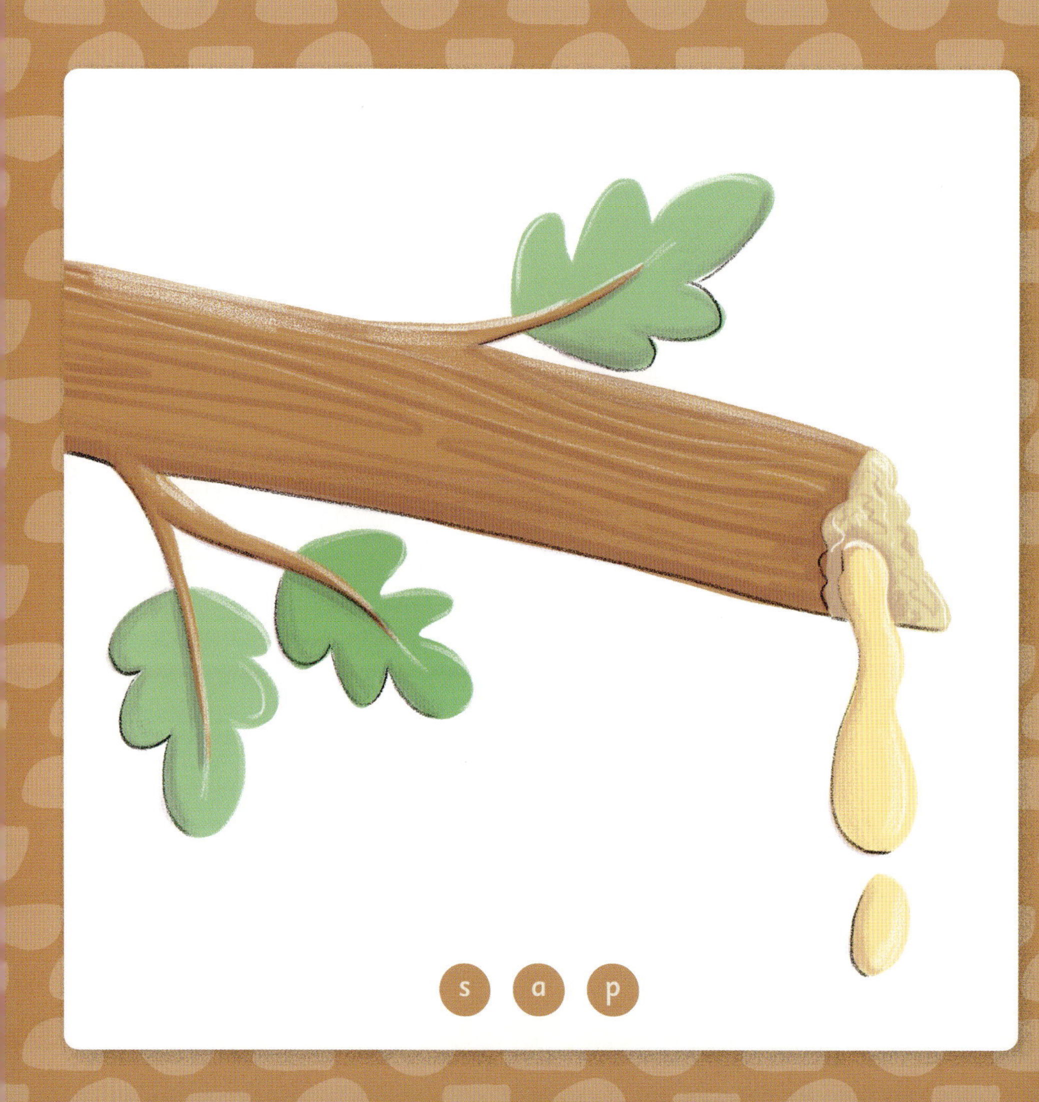
s a p

snap

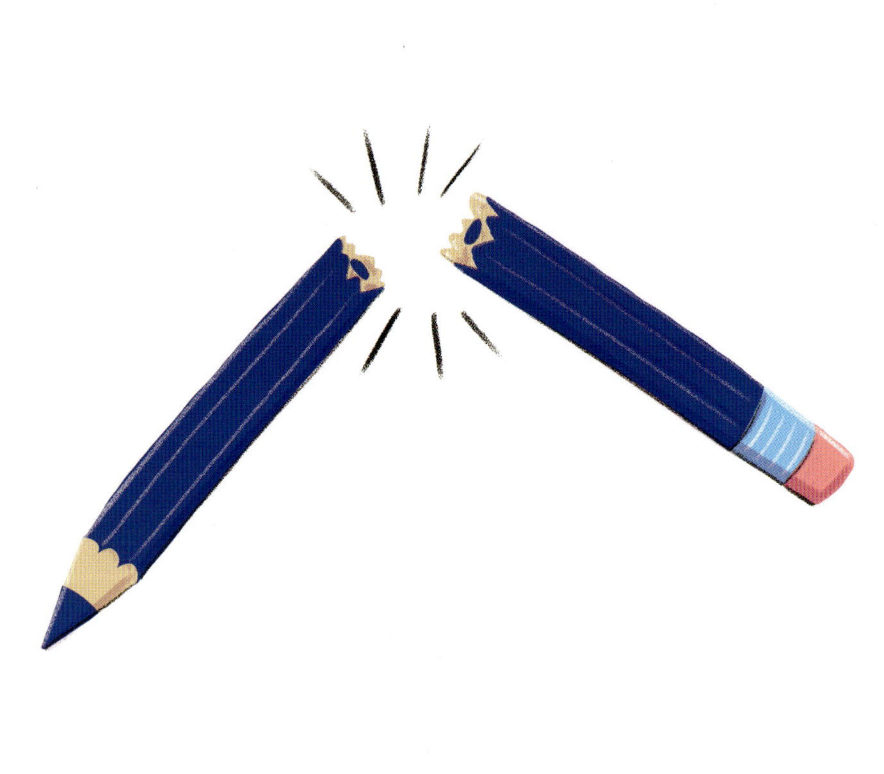

s n a p

pants

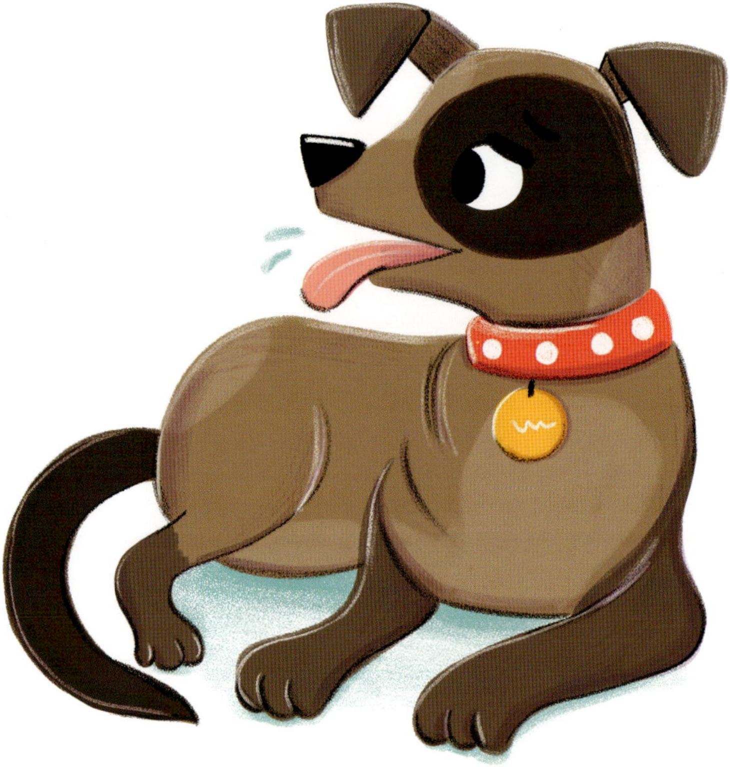

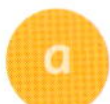

p a n t s